p¹

LE SUPERTRAÎNEAU

Texte et illustrations de John Patience

BIBLIOTHÈQUE PUBLIQUE

Après avoir fabriqué des jouets
toute la journée, le père Noël
s'installe au coin du feu.
— Les rennes, c'est dépassé,
dit le père Noël. Je veux
quelque chose de moderne
pour me déplacer cette année.
— Qu'est-ce que tu dis ?
demande la mère Noël.
— Je remplace les rennes par
un supertraîneau. Je viens d'en
voir un beau dans le journal.
« Ça ne me dit rien de bon »,
pense la mère Noël.

Le supertraîneau arrive enfin, en pièces détachées. Le père Noël et ses lutins ont un peu de difficulté à comprendre les instructions, mais ils finissent par le monter.

— Il reste quelques morceaux, dit la mère Noël.

— Oui, répond le père Noël, mais je pense qu'ils ne servent à rien. Ce traîneau est merveilleux, non ?

— Hum..., fait la mère Noël. Je ne monterai jamais là-dedans.

C'est la veille de Noël. Le père Noël et ses lutins chargent le supertraîneau. Les rennes les observent. Ils sont tristes.

— Je suis désolé, leur dit le père Noël. Mais de quoi aurais-je l'air en distribuant des jeux électroniques avec un traîneau tiré par des rennes ?

Le père Noël monte à bord de l'engin, appuie sur un bouton et s'envole.

— Ne vous en faites pas, les rennes, dit la mère Noël. On ne sait jamais...

Le supertraîneau est une merveille ! Il vole autour du monde et le père Noël livre ses cadeaux aux États-Unis, en Russie, en France, en Égypte et en Italie... en un temps record.

Le père Noël survole Montréal lorsque, soudain, le moteur fait un énorme BANG ! Le traîneau fait des boucles, des tonneaux, et...
— Au secours ! crie le père Noël. J'ai perdu le contrôle.

Le supertraîneau vole dangereu-
sement bas et rate de peu un
grand édifice.
— À l'aide ! crie le père Noël.
Je ne vois plus rien.
Le supertraîneau fonce dans
quelque chose de mou et de
froid : c'est un gros bonhomme
de neige, et le père Noël est
projeté dans les airs !

Étourdi, le père Noël se lève et se secoue. Il est au milieu d'un parc et, malheureusement, la porte est verrouillée. Pour sortir, il lui faut escalader cette immense grille. Mais le père Noël est vieux, gros et son sac est lourd. Il reste coincé.
Il faut une heure avant qu'un policier arrive.

— Je vous laisse partir, dit le policier, mais la prochaine fois, conduisez votre traîneau plus prudemment.

Le père Noël promet et il téléphone à la mère Noël au pôle Nord. Elle est dans l'étable en train de nourrir les rennes. Elle rit de bon cœur en écoutant son mari.

— Ne t'inquiète pas, dit-elle.

Nous arrivons.

66228

La mère Noël attelle les rennes au vieux traîneau et s'envole pour aller chercher le pauvre père Noël. C'est ainsi que les cadeaux de Noël ont été livrés : de la bonne vieille façon.

— Plus de supertraîneau pour moi ! annonce le père Noël en riant. Mais l'an prochain, j'essayerai peut-être des rennes-robots... Non. C'est une blague, mes braves rennes !
Ho ho ho !